COIS TRÁ LE
MÚINTEOIR MOLLY

LE HEATHER HENNING
MAISITHE AG PAULA MARTYR

CLÓ MHAIGH EO

Bhí Mícheál Ó Baoill i ndiaidh teacht ar
chuairt le cúpla lá a chaitheamh lena aintín.
'Nach deas an lá é, a Mhíchíl?' arsa
Múinteoir Molly.
'Cá rachaidh muid?'

'An féidir linn dul cois trá, le do thoil, a aintín?'
arsa Mícheál.
'Is féidir, cinnte!' arsa Múinteoir Molly,
'smaoineamh an-mhaith!'
'Aimseoidh muid trá chiúin agus rachaidh
muid ag lapadáil.'

Ach is cosúil go raibh an smaoineamh céanna ag gach duine eile agus bhí a fhios acu go díreach cá raibh an trá bheag chiúin! 'Cá bhfágfaidh muid an carr?' arsa Micheál.

Tháinig Múinteoir Molly ar áit pháirceála cóngarach
don fharraige.
Chomh cóngarach sin…go raibh siad i mbéal na toinne!

Thosaigh Míchéal ag lapadáil agus ag slaparnach.
Léim sé thar tonnta arda agus thar tonnta ísle.
Bhain Múinteoir Molly a bord-seoil amach agus isteach léi san
fharraige.

'Anois is féidir liom dul ag marcaíocht ar na tonnta!' ar sise.

Prap, plab!
Ní raibh Múinteoir Molly ar bhord-seoil ariamh roimhe.

'Tosóidh mé ag tochailt sa ghaineamh,' arsa Mícheál.
Thochail sé agus thochail sé…poll mór…
taobh thiar den charr!
Thóg sé an caisleán is mó a bhí ar an trá ariamh!

'Tá mo chaisleán OLLMHÓR!' arsa Mícheál.
'Sílim go bhfuil sé THAR BARR!'
arsa Múinteoir Molly.

Tháinig páistí eile le féachaint ar an gcaisleán.
'Iontach!' a ghlaoigh siad.

'Gheobhaidh muid sliogáin agus feamainn le cur ar na ballaí, ar na túir agus ar bhéal an gheata.
Ligfidh muid orainn gur ridirí sinn'

'Cén fáth nach ndéanann gach duine agaibh caisleáin?'
a d'fhiafraigh Múinteoir Molly.
Agus sula bhféadfá rí-rá, ruaille-buaille a rá…

...bhí líne dhíreach de chaisleáin ar imeall na trá.
Bhí gach duine ag baint an-sult as an lá.

Féirín do na tógálaithe!
D'imigh Múinteoir Molly agus tháinig sí ar ais le féiríní blasta
do gach duine.
Ansin bhí picnic acu ar an trá.

'Uachtar reoite, líomanáid agus cacaí!' arsa Mícheál.
'Criostal siúcra agus úlla taifí,' arsa na páistí.

'Cuirfidh muid báid chun seoil,' arsa na páistí.

'Siúlfaidh muid go dtí an teach solais,' arsa Múinteoir Molly.

'Agus cuartóidh muid do na crosóga mara sna linnte charraige,' arsa Mícheál.

Tháinig Mícheál ar ghliomóga, ar phortáin, ar oisrí,
ar chloicheáin agus ar chrosóga mara.
Ghlac sé an-chuid ama orthu filleadh ar ais.

Ní raibh carr ar bith fágtha ar an trá mar…
..*bhí lán-taoide ann.*
A leithid de *raic*!
Bhí carr beag dearg Mhúinteoir Molly ansin agus an fharraige
ag lapadáil thart air.

Ní raibh le feiceáil ach barra na gcaisleán san uisce.
'Tá mo charr ag dul faoi!' a bhéic Múinteoir Molly.

'Go gasta! Isteach sa charr, a Mhíchíl!' arsa sise.
Chas sí an eochair agus phreab an carr ar chúl –
díreach isteach sa pholl a thochail Mícheál.

'Cuidigh linn!' a bhéic Múinteoir Molly agus a culaith snámha ildaite á chroitheadh aici.
'Cuidigh linn!' a bhéic Míchcál agus a chiarsúr breac á chroitheadh aige.

Tháinig tarracóir le soilse móra lena dtarrtháil.
'Ná bí buartha, a mhic,' arsa an tiománaí,
'beidh mo tharracóir ábalta sibh a tharraingt amach ar an toirt!'
Cheangail sé téad ón tarracóir go dtí an carr beag dearg agus
tharraing…

...go dtí go raibh siad ar ais ar thalamh tirim.
'Go raibh maith agat as muid a tharrtháil,' arsa Múinteoir Molly.
'Go raibh maith agat,' arsa Mícheál.

'Ba bhaolach an áit pháirceála í sin,' arsa an tiománaí cairdiúil.
'Tá an ceart agat,' arsa Múinteoir Molly agus í ag gáire,
'*Baoilleach san ainm agus baolach sa nadúr*.'

Foilsithe ag Cló Mhaigh Eo,
Clár Chlainne Mhuiris,
Co. Mhaigh Eo,
Éire.
www.leabhar.com
colman@leabhar.com
094-9371744

ISBN 1-899922-32-6

Dearadh: raydes@iol.ie
Clóbhuailte in Éirinn ag Clódóirí Lurgan Teo.

Buíochas le Eithne Ní Ghallchobhair

Faigheann Cló Mhaigh Eo cabhair ó Bhord na Leabhar Gaeilge.

Tá an Príomhoide ar bís.
Tá an Cigire Scoile ag teacht le héisteacht le rang ceoil.
Agus caithfidh Múinteoir Molly an ceacht a ullmhú!

ISBN: 1-899922-34-2

Ag an sú atá Múinteoir Molly agus na páistí agus iad
ag baint an-sult as.
Glacann Múinteoir Molly páirt sa spraoi freisin.
Ach ansin cuireann moncaí beag suim ina hata!

ISBN: 1-899922-33-4

I seomra na gcótaí atá deartháir beag Laoise.
Ach cén fáth go gceapann Múinteoir Molly go n-íosfaidh
sé leitís agus meacan dearg?
Ar ndóigh, tá a bealach féin ag múinteoir Molly!

ISBN: 1-899922-31-8